FINN y SEP

EL LABERINTO DE LOS GNOMOS

PETER GOES

LIBROS DEL ZORRO ROJO

Un ruido terrible despierta a Finn en medio de la noche. ¡La casa está patas arriba!
¿Dónde está Sep? El perro de Finn no para de ladrar. Corre como un loco detrás del gran gnomo
y su extraña pandilla. ¡Deprisa, Finn! Los gnomos se escapan.

Está oscuro y Finn no consigue encontrar el camino. Miles de ojos, como luciérnagas, alumbran el sendero, que da vueltas y más vueltas. Hasta que… oye unos ladridos. ¡Aquí está Sep! Pero ¿y los gnomos?

Finn y su valiente perro llegan a un enredado jardín de setos y flores.
A lo lejos ven al gran gnomo escabullirse por una gruta oscura.
«Hay que atravesar el laberinto verde»,
piensa Finn mientras busca una linterna.

Siguiendo la pista del gnomo bajan a una profunda cueva. Los bichos revolotean
y huyen del haz de luz del farol. Finn y Sep están a punto de perderse.
Suerte que, junto a una estalactita, un ratón sabio y un viejo dragón
les muestran el camino hasta el sótano del castillo.

Ssst

La búsqueda se complica, el castillo es un laberinto de escaleras y pasadizos.
Sus habitantes duermen y las puertas están cerradas.
«¿Dónde encontraré las llaves?», se pregunta Finn.

En la parte alta, un nuevo laberinto, esta vez de torres y almenas. Dos perros, tres toros, cinco conejos, siete gatos y once centinelas despistan a Finn y a Sep. «¡Ahí está el gran gnomo! —grita Finn, saltando sobre una alfombra voladora—. ¡Ya casi lo tenemos!»

Se ha puesto a llover y la alfombra ha quedado empapada.
Finn y Sep persiguen al gran gnomo en medio de truenos y relámpagos,
¡y de una plaga de dragones! Poco a poco
pierden altura…, ¡y caen al mar!

¡Barco a la vista! Nuestros amigos continúan su marcha entre torbellinos de agua. La brújula del barco fantasma les señala el rumbo. Finn y Sep luchan contra las olas mientras otean el horizonte en busca de un trozo de tierra.

17

Entonces, una ola gigante hace volcar la barca.
Finn y Sep se sumergen en un extraño mundo submarino,
lleno de corales y anémonas. Allí conocerán a nueve
estrellas de mar…

Finn y Sep llegan a tierra firme, pero chocan contra un acantilado.
Delante de ellos, rocas escarpadas que no paran de reír,
cientos de conejos, cabras enamoradas y mucha caca de pájaro.

Los dos amigos llevan días vagando por un bosque sombrío. Están perdidos, hasta que siete búhos les indican el camino.
De repente, Sep empieza a ladrar. Ha husmeado algo familiar. ¡Sí! ¡Allí, entre los árboles! ¡Allí está su casa!

¡Qué sorpresa! El gran gnomo ha preparado una fiesta para celebrar el cumpleaños de Finn. Hay música, un enorme pastel y lo mejor de todo: un laberinto de amigos extraordinarios.

Título original: *Feest voor Finn* / Autor: Peter Goes
Publicado originalmente por Lannoo Publishers

Barcelona – Buenos Aires – Ciudad de México
www.librosdelzorrorojo.com

www.petergoes.com
www.facebook.com/petergoesillustrator
www.instagram.com/goes.peter

Dirección editorial: Fernando Diego García
Dirección de arte: Sebastián García Schnetzer
Edición: Estrella Borrego
Traducción: Mariona Vilalta
Corrección: Sara Díez Santidrián

Con la colaboración de Flanders Literature
www.flandersliterature.be

ISBN: 978-84-947284-1-9
Depósito legal: B-21078-2017

Primera edición: noviembre de 2017

Impreso en Bélgica por Graphius